Ce livre appartient à

_____

Hänsel et Gretel

D'APRÈS

W. et J. Grimm

ILLUSTRATIONS

John Gurney

Mango

Adaptation Fiona Black
Traduction Ariane Bataille
© Editions Mango 1993 pour la langue française
Hänsel et Gretel copyright © 1991 by Armand Eisen
Dépôt légal : mars 1993
ISBN 2 7404 0252 X

Hänsel et Gretel

$\mathscr{U}$n pauvre bûcheron vivait avec sa seconde femme dans une cabane construite à la lisière d'une très grande forêt.

Ce bûcheron, qui avait eu d'un premier mariage un fils et une fille prénommés Hänsel et Gretel, était si pauvre qu'il n'eut bientôt plus d'argent pour nourrir sa famille.

Un soir, il prit sa femme à part et lui confia :

" Qu'allons-nous devenir ? Nous n'avons plus rien à manger.

— Il n'y a qu'une seule chose à faire, répliqua-t-elle. Donnons à chaque enfant un dernier morceau de pain et emmenons-les dans la forêt. Nous les y laisserons et ils trouveront bien de quoi se nourrir.

— Mais je ne peux faire une chose pareille à mes propres enfants !" s'écria le bûcheron.

Mais sa femme le harcela tant et si bien que le pauvre homme finit par céder.

Hänsel et Gretel, qui ne dormaient pas encore cette nuit-là, avaient tout entendu. Gretel fondit en larmes.

"Ne t'inquiète pas, la rassura son frère, je trouverai un moyen pour nous sortir de là."

Il attendit que ses parents fussent endormis pour se glisser sans bruit hors de la maison. Le clair de lune faisait briller comme des pièces d'argent les petits cailloux blancs qui jonchaient le sol.

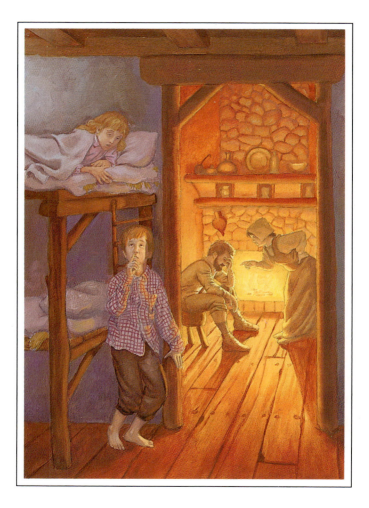

Hänsel en remplit ses poches et retourna se coucher. "Dors en paix, petite sœur, dit-il à Gretel. Tout ira bien."

Le lendemain matin, de bonne heure, leur belle-mère vint les réveiller en les secouant.

"Debout ! Nous allons couper du bois dans la forêt, annonça-t-elle. Voici du pain pour le déjeuner et veillez à ne pas le manger avant, car vous n'aurez rien d'autre !"

Gretel cacha la part d'Hänsel dans son tablier, car les poches de son frère étaient déjà remplies de petits cailloux.

En chemin, Hänsel ne cessait de se retourner pour regarder la cabane.

"Allons, gronda son père, pourquoi traînes-tu comme cela ?

— Je dis au revoir à mon petit chat blanc qui est sur le toit.

— Idiot ! répliqua sa belle-mère, ce n'est pas ton chat blanc. Ne vois-tu pas que c'est le reflet du soleil sur le toit ?"

Hänsel le savait bien, mais à chaque fois qu'il se retournait, il laissait discrètement tomber un petit caillou blanc sur le chemin.

Un fois parvenus au cœur de la forêt, le père et la belle-mère allumèrent un grand feu.

"Vous n'avez qu'à rester auprès du feu et déjeuner pendant que nous allons couper du bois un peu plus loin", dit la belle-mère.

Hänsel et Gretel obéirent. Ils pensaient que leurs parents n'étaient pas trop éloignés car ils pouvaient entendre le bruit de la hache contre les arbres. En réalité, il ne s'agissait que d'une branche morte qui, agitée par le vent, frappait un tronc à intervalles réguliers.

Au bout de quelques instants, les enfants s'endormirent.

Quand ils se reveillèrent, il faisait nuit et leurs parents n'avaient pas reparu. Gretel se mit à sangloter, mais Hänsel la rassura : "N'aie pas peur, petite sœur, attends que la lune se lève."

Et quand la lune éclaira le ciel, Hänsel prit Gretel par la main et ils suivirent à la trace les petits cailloux blancs qui étincelaient comme des diamants.

Quand vint le jour, ils atteignirent la maison.
Leur père, déchiré par l'idée d'avoir
abandonné ses enfants dans la forêt, les serra
fort dans ses bras. Mais bientôt, la faim
tourmenta à nouveau toute la famille et, un
soir, Hänsel et Gretel entendirent leur belle-
mère dire à leur père : "Il faut se débarrasser de
ces enfants ! Cette fois, on les emmènera si loin
qu'ils ne retrouveront jamais leur chemin."

Hänsel attendit le sommeil de ses parents
pour se glisser sans bruit hors de la maison et

aller ramasser des petits cailloux. Mais cette fois, la porte était fermée à clef.

Le lendemain matin, leur belle-mère leur donna à chacun un tout petit morceau de pain, avant de partir dans la forêt. En chemin, Hänsel écrasa le pain dans sa poche et en jeta les miettes derrière lui. Quand son père lui demanda pourquoi il traînait, il répondit :

"Je dis au revoir à mon pigeon qui roucoule sur le toit.

– Idiot ! ce n'est pas ton pigeon. Ne vois-tu pas que c'est le reflet du soleil sur le toit ?"

Hänsel le savait bien, mais à chaque fois qu'il se retournait, il laissait tomber un tout petit bout de pain sur le chemin.

Cette fois, les parents emmenèrent les enfants dans une partie de la forêt qu'ils ne connaissaient pas du tout. Là, le bûcheron alluma un grand feu.

" Mangez votre pain près du feu pendant que nous allons couper du bois, dit leur belle-mère. Nous reviendrons vous chercher quand nous aurons fini. "

Gretel partagea son morceau de pain avec son frère. Puis tous deux s'endormirent.

Il faisait nuit quand ils se réveillèrent ; ils appelèrent de toutes leurs forces leur père et leur belle-mère, mais personne ne leur répondit. Gretel se mit à sangloter, mais Hänsel la rassura : "Attends que la lune se lève et nous pourrons suivre les miettes de pain que j'ai laissées sur le chemin."

Cependant, lorsque la lune se leva, les miettes de pain avaient disparu. Les oiseaux de la forêt les avaient toutes mangées.

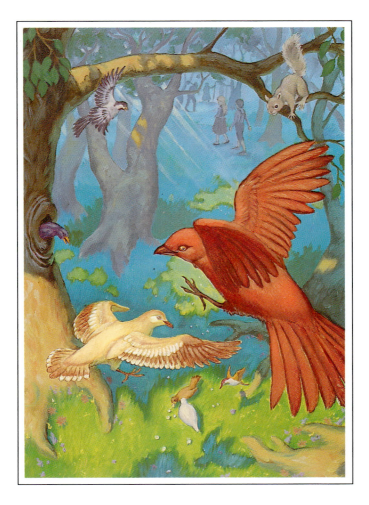

" Tant pis, en route ! dit bravement Hänsel.
Nous finirons bien par retrouver la maison."

Mais ils marchèrent toute la nuit sans
pouvoir sortir de la forêt.

Le lendemain, ils reprirent leur route,
de l'aube au crépuscule, en vain. Ils étaient bel
et bien perdus.

A part quelques noisettes ramassées par terre,
ils n'avaient rien mangé depuis la veille.

La nuit venue, ils se remirent en marche le
cœur serré car ils savaient que, s'ils ne
parvenaient pas à sortir de la forêt,
ils mourraient.

Ils aperçurent alors, perché sur une haute branche, un magnifique oiseau blanc qui chantait. Sa voix était si mélodieuse qu'ils s'arrêtèrent pour l'écouter. L'oiseau battit alors des ailes et voleta jusqu'à eux.

"On dirait qu'il essaie de nous montrer le chemin", s'écria Hänsel.

Les deux enfants le suivirent jusqu'à une petite maison sur le toit de laquelle il se posa.

En s'approchant, Hänsel et Gretel découvrirent que la maison était en pain d'épice, son toit en biscuit et ses fenêtres en sucre d'orge !

"Voilà un bon déjeuner ! Commence par les fenêtres, moi, je prends le toit !" lança Hänsel à sa sœur.

Et il cassa un bout du toit pendant que Gretel faisait sauter un volet. C'est alors qu'une grosse voix se fit entendre de l'intérieur de la maison :

"Crique et croque !

Qui donc grignote ma maison ?"

Hänsel et Gretel répondirent en chœur :

"Ce n'est rien !

C'est le vent, c'est le vent ! "

Hänsel arracha un autre morceau du toit et Gretel un carreau qu'elle avala tout rond.

La porte s'ouvrit alors brusquement et une vieille femme appuyée sur une canne apparut sur le seuil.

Hänsel et Gretel eurent très peur mais la vieille femme leur dit gentiment :

" Ne craignez rien. Je ne vous ferai aucun mal. Entrez !"

Et elle leur offrit des beignets aux pommes, avec du sucre et des raisins secs.

Puis elle leur montra deux petits lits douillets dans lesquels ils s'endormirent aussitôt, se croyant enfin en sécurité.

Mais la vieille femme n'était pas aussi gentille qu'elle le semblait, c'était une méchante sorcière qui attirait les enfants avec sa maison de pain d'épice pour les manger.

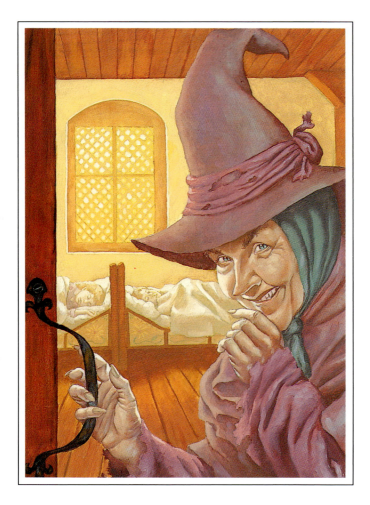

Le lendemain matin de bonne heure, elle secoua Hänsel puis l'emmena dans une cave toute noire où elle l'enferma.

Quant à Gretel, elle lui dit en ricanant :

"Debout! Tu as du travail ! Va faire la cuisine pour nourrir ton frère. Quand il sera bien gras, je le mangerai ! Ha ! Ha ! Ha !"

Gretel éclata en sanglots mais fut obligée d'accepter...

Chaque jour, Hänsel était gavé des meilleurs plats pendant que la pauvre Gretel ne mangeait que des croûtons de pain dur.

Chaque jour, la sorcière descendait à la cave pour voir si Hänsel grossissait.

"Tends les doigts, disait-elle. Voyons si tu es assez dodu !"

Mais Hänsel qui était très malin lui tendait toujours un os de poulet à la place du doigt. Et la sorcière, qui avait une très mauvaise vue, tombait toujours dans le piège et grognait parce qu'il n'était pas encore bon à manger.

Pourtant, un jour, perdant patience, elle décida de le faire cuire quand même.

Elle appela Gretel et lui dit :

"Je vais faire cuire du pain. J'ai déjà préparé la pâte et allumé le four. Va donc voir à l'intérieur s'il est assez chaud."

La sorcière avait décidé de l'enfermer dans le four et de la faire cuire aussi, mais Gretel ne fut pas dupe.

"Comment faire pour rentrer dans le four ? demanda-t-elle.

- Idiote ! répliqua la sorcière, tu n'as qu'à ramper. Regarde-moi."

Et elle s'y glissa. Rapide comme l'éclair, Gretel la poussa, claqua la porte derrière elle et la verrouilla.

La sorcière poussait des hurlements terribles mais Gretel n'y prêtait pas attention. Elle courut délivrer son frère.

"Oh ! Hänsel, s'écria-t-elle, la méchante sorcière est morte, partons vite d'ici !"

Ils se jetèrent dans les bras l'un de l'autre. Avant de partir, ils visitèrent la maison de pain d'épice et découvrirent des coffres pleins d'or et de diamants. Hänsel en remplit ses poches et Gretel son tablier.

Les deux enfants s'enfoncèrent ensuite dans la forêt où ils marchèrent toute la journée.

Vers le soir, ils reconnurent un chemin fleuri qui leur était familier. Au loin, les enfants aperçurent enfin la cabane de leur père.

"Regarde, Gretel ! s'écria Hänsel. Nous ne sommes plus perdus ! "

Ils se mirent à courir aussi vite qu'ils pouvaient. Quand ils firent irruption dans la pièce, ils virent leur père, seul devant la cheminée.

Sa femme était morte, et pas une fois il n'avait eu une minute de bonheur depuis qu'il

avait abandonné ses enfants dans la forêt.

Le bûcheron fut transporté de joie à la vue de ses enfants.

Hänsel et Gretel lui montrèrent tout l'or et toutes les pierres précieuses qu'ils avaient trouvés dans la maison de la sorcière.

Désormais, ils allaient pouvoir vivre heureux et ne plus jamais avoir faim.